CW00376416

Pour Mathilde Pirotte

Première édition dans la collection *lutin poche* : octobre 1998

Loi numéro 49.956 du 16 juillet 1949 sur les publications
destinées à la jeunesse : février 1996
Dépôt légal : décembre 2003
Imprimé en France par Aubin Imprimeur à Poitiers

Elzbieta

Clown

Pastel
lutin poche de l'école des loisirs
11, rue de Sèvres, Paris 6e

J'avais un oiseau bleu…

phuit, il s'est envolé !

J'avais une grenouille verte…

elle s'est carapatée !

J’avais un ours brun…

lui aussi s'est sauvé !

J'avais une souris grise…

le chat me l'a croquée !

J'avais une poule rousse…

le loup me l'a volée !

J'avais une culotte mauve…

un chien me l'a chipée !

J'avais une rose rose…

un mouton l'a broutée

et mon parapluie noir…

le vent l'a emporté !

J'avais un beau nez rouge…

un merle me l'a becqueté !

J'avais
une bougie blanche…

le feu me l'a brûlée !

Puis c'était le matin, je me suis réveillé !